GEOPOLÍTICA OU GEOGRAFIA POLÍTICA DO NARCOTRÁFICO?

FACÇÕES CRIMINOSAS
E DISPUTAS TERRITORIAIS
NA AMAZÔNIA

Editora Appris Ltda.
Copyright© 2024 do autor
Direitos de Edição Reservados à Editora Appris Ltda.

Nenhuma parte desta obra poderá ser utilizada indevidamente, sem estar de acordo com a Lei nº 9.610/98. Se incorreções forem encontradas, serão de exclusiva responsabilidade de seus organizadores. Foi realizado o Depósito Legal na Fundação Biblioteca Nacional, de acordo com as Leis nºs 10.994, de 14/12/2004, e 12.192, de 14/01/2010.

FICHA TÉCNICA

SUPERVISORA EDITORIAL	Renata C. Lopes
DIAGRAMAÇÃO	Bruno Nascimento
CAPA	Renata C. Lopes

Editora e Livraria Appris Ltda.
Av. Manoel Ribas, 2265 – Mercês
Curitiba/PR – CEP: 80810-002
Tel. (41) 3156 - 4731
www.editoraappris.com.br

Printed in Brazil
Impresso no Brasil

AIALA COLARES OLIVEIRA COUTO

GEOPOLÍTICA OU GEOGRAFIA POLÍTICA DO NARCOTRÁFICO?

FACÇÕES CRIMINOSAS E DISPUTAS TERRITORIAIS NA AMAZÔNIA

RESUMO

O texto em questão é uma breve atualização acerca da dinâmica da violência na região amazônica. O objetivo do mesmo é fazer uma análise da espacialização das facções criminosas representadas por meio de mapas temáticos que evidenciam a complexidade destas territorialidades. Além disso, o texto traz o mapa da violência com ênfase nas mortes violentas intencionais nos municípios da região amazônica. De qualquer forma, a abordagem aqui enfatizada resulta do projeto "Cartografias da violência na região amazônica". A metodologia deste trabalho se deu com base em análise de documentos, coleta de dados primários e pesquisas de campo. Finalmente, os resultados aqui apontam para a necessidade de políticas públicas de segurança pública que possibilitem o fortalecimento institucional por parte do Estado, bem como a defesa da Floresta Amazônica e de suas populações.

Palavras-chave: Geopolítica do narcotráfico. Amazônia. Violência.

SUMÁRIO

1.
GEOPOLÍTICA OU GEOGRAFIA POLÍTICA
DO NARCOTRÁFICO NA AMAZÔNIA? — 9

2.
O CONTROLE DO TERRITÓRIO E A DINÂMICA DAS
FACÇÕES CRIMINOSAS NA REGIÃO — 13

3.
AS MORTES VIOLENTAS INTENCIONAIS
E O MAPA DA VIOLÊNCIA NA AMAZÔNIA — 20

PARA (NÃO) CONCLUIR — 25

Referências — 27

1.
GEOPOLÍTICA OU GEOGRAFIA POLÍTICA DO NARCOTRÁFICO NA AMAZÔNIA?

Sabe-se que a Amazônia desempenha um papel fundamental para as redes e mercados do narcotráfico no Brasil, seja como área de trânsito que abastece o mercado brasileiro, seja como espaço de integração aos mercados da Europa e África. De certa forma, a posição estratégica da Amazônia em relação aos produtores de cocaína e skank teve grande contribuição na reorganização espacial das facções criminosas no território.

É daí que vem a ideia de uma geopolítica do narcotráfico na Amazônia, pois se entende que as mais variadas estratégias de controle e regulação das principais rotas do narcotráfico são utilizadas pelo crime organizado ou facções criminosas. Esta é inclusive a maior motivação para que facções criminosas como Comando Vermelho (CV), do Rio de Janeiro, e Primeiro Comando da Capital (PCC), de São Paulo, estejam na região.

O controle das rotas se faz necessário para que se tenha o controle do mercado da droga, conhecer e se apropriar da geografia da Amazônia é extremamente necessário para as facções criminosas. Os maiores conhecedores dos rios e de suas bacias hidrográficas, bem como os conhecedores da dinâmica das florestas, são sem dúvida alguma as populações tradicionais. Indígenas, quilombolas, castanheiros, pescadores artesanais etc. são constantemente assediados pelas organizações criminosas, seus territórios encontram-se vulneráveis diante das ações do narcotráfico.

Não se pode esquecer que o vocabulário geografia quer dizer descrição da terra, logo a descrição dos elementos da natureza, o conhecimento empírico e cognitivo sobre o ecossistema, é algo muito bem realizado por quem vive na região. Se a geopolítica pode ser definida como uma ciência que interpreta os fenômenos históricos, econômicos e políticos dos Estados nacionais e os reflexos internacionais, a geopolítica do narcotráfico representa as táticas das facções criminosas que se apropriam da dinâmica social, econômica, política e ecológica da Amazônia, sobretudo considerando a sua conexão com o mundo globalizado.

O jurista sueco Rudolf Kjellén foi responsável por criar o termo "geopolítica", ele buscou expressar as concepções acerca da relação entre Estado e território. A geopolítica seria para Kjellén um ramo autônomo da ciência política, ela difere da geografia política, que pode ser entendida como uma vertente da geografia. A tese sobre geopolítica do narcotráfico busca evidenciar a relação entre facções criminosas e o território, por isso parte-se do pressuposto de que o Estado não é o único a fazer uso da geopolítica.

Por outro lado, em relação à conjuntura atual dos conflitos na Amazônia, há relações de poder difusas sobre a região que envolvem conflitos territoriais e violência. Estamos diante então de uma geografia política do narcotráfico? Ou mais ainda, uma geografia política das facções criminosas? Antes de aprofundar tal questionamento, destaca-se que a relação entre política e território é essencial para a compreensão da sociedade.

A produção do espaço regional ou formação histórica e geográfica da região amazônica se deu com base em políticas de intervenção desde o século XVII, com a presença dos fortes militares e da igreja católica, passando pelos grandes projetos desenvolvimentistas e abertura de estradas com foco na exploração dos recursos naturais.

Em termos temporais, os anos de 1960 destacam-se como o início do que a geógrafa Betha Becker (1991) chamou de economia da fronteira, sobretudo a partir dos governos militares (1964-1985), e representa o paradigma de crescimento econômico que historicamente marcou o povoamento e desenvolvimento amazônico, linear e infinito, baseado na exploração predatória dos seus recursos naturais e do saber de suas populações tradicionais.

Nesse sentido, pode-se dizer que se trata de uma geopolítica dos militares para a Amazônia, uma geopolítica com estratégias desenvolvimentistas que, ao impor forte relação de violência contra povos indígenas, quilombolas, ribeirinhos e camponeses, transforma-se numa geografia política. Como destaca Castro (2005), na realidade, como muitas questões e conflitos de interesses que surgem das relações sociais se materializam em disputas territoriais, as tensões e arranjos que daí surge definem não apenas uma abordagem, mas um campo importante da análise geográfica.

A análise geográfica do narcotráfico perpassa pela análise das relações entre espaço e poder. É impossível desconsiderar a relação política desse processo, assim "podemos indicar que é na relação entre a política – expressão e modo de controle dos conflitos sociais – e o território – base material e simbólica da sociedade – que se define o campo da geografia política" (Castro, 2005, p. 15-16).

A geografia política do narcotráfico é o conjunto de ideias articuladas a partir das facções criminosas com o objetivo de controlar o território, elas podem levar aos conflitos pelo uso do território. A geografia nesse caso é, portanto, uma ação política que produz o território. Estas relações precisam ser materializadas, pois elas dizem muito sobre as relações externas e internas do narcotráfico, são interações que integram as fronteiras numa conexão transnacional por meio de redes.

2. O CONTROLE DO TERRITÓRIO E A DINÂMICA DAS FACÇÕES CRIMINOSAS NA REGIÃO

A região amazônica é um espaço de sobreposição de diversas formas de ilegalidades. Exploração ilegal de ouro, contrabando de madeiras, grilagem de terras, pesca ilegal e biopirataria somam-se aos mais diversos tipos de crimes ambientais, muitas vezes crimes articulados a partir do crime organizado ou com a presença de facções criminosas.

De toda forma, o que é importante enfatizar é a fragilidade institucional promovida pelo governo passado, que precarizou as ações de fiscalização de órgãos federais, como: Incra, Ibama, ICMBIO e Funai, todos eles aparelhados pela gestão Bolsonaro. Por isso, enfatizamos que essas estratégias fizeram parte de um projeto político baseado no modelo colonial-civilizatório, cuja meta era a destruição e exploração ao máximo dos recursos naturais da região para acumulação do capital. Essa desestabilização permitiu facilmente que o narcotráfico se conectasse aos crimes ambientais, ganhando mais força econômica e tornando mais complexa a compreensão da presença do crime organizado na região.

No Mapa 1 a seguir é possível identificar os municípios que possuem a presença de facções criminosas, bem como aqueles que se encontram em situação de disputa territorial e outros com registro da presença de apenas uma facção que regula e controla as relações. A construção do mapa temático se deu com base dados primários e secundários, sendo montada uma matriz cruzada na qual cada município da região foi classificado como tendo ou não a presença significativa de ao menos uma facção e, no caso da presença de mais do que uma delas, se havia indícios de disputas e conflitos.

No mapa também é possível enfatizar que, de um total de 772 municípios da Amazônia Legal, foram identificados pelo menos 178 com a presença de facções, ou seja, em termos percentuais 23% de todos os municípios da região. Já em relação aos municípios em situação de disputa territorial entre duas ou mais facções, eles correspondem ao número de 80 municípios, um percentual de 10,4% do total da região amazônica.

Chama-se a atenção para o fato de que nos 178 municípios com a presença de alguma facção vivem aproximadamente 57,9% dos habitantes da Amazônia Legal. Já nos 80 municípios em disputa por facções, a população absoluta é de cerca de 8,3 milhões de habitantes, algo próximo de 31,12% da população total da região. Nesses termos, pode-se dizer que 1/3 dos habitantes da Amazônia Legal estão em áreas conflagradas e em disputa, portanto sujeitos às dinâmicas de violência e de sobreposição das atividades e redes ilegais.

Mapa 1 – Municípios controlados e sob a disputa de facções na Amazônia Legal

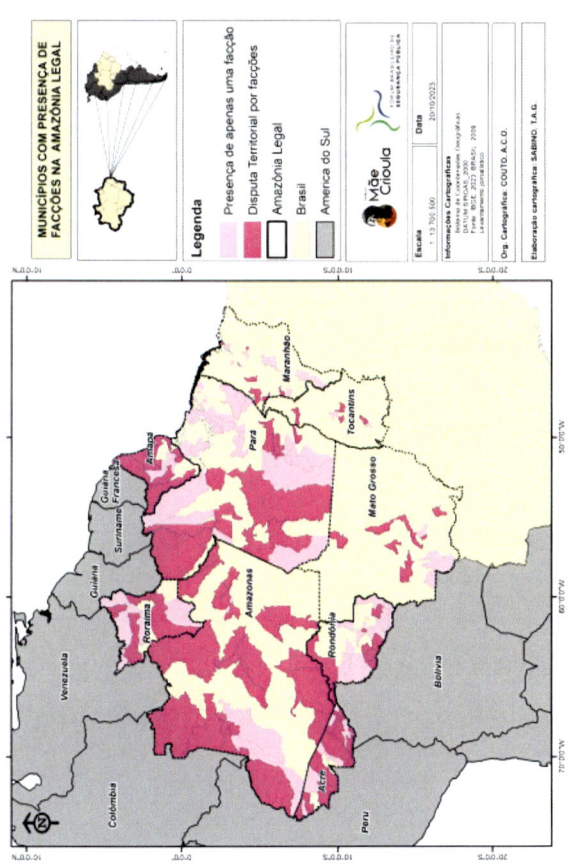

Fonte: Cartografias da violência na região amazônica (2023)

Ressalta-se que 22 facções estão presentes e distribuídas pelos estados amazônicos. Além disso, a região de fronteira da Amazônia possui a maioria dos municípios que se encontram em disputa. São grupos criminais que se instalam para estabelecer o controle dos fluxos de ilícitos estabelecendo relações de poder que possam garantir o controle do escoamento da droga para o território nacional. Chama-se a atenção para a presença de facções e gangues dos países vizinhos, onde se estabelecem diálogos e cooperações.

A partir da análise do Mapa 2, que retrata este cenário complexo, é possível identificar que todos os estados amazônicos possuem registros de presença de facções, e em todos eles há algum município que está sendo disputado pelo controle pleno de alguma delas. A fronteira amazônica possui a maioria dos municípios sob disputa desses grupos, que geralmente se instalam para estabelecer o controle dos fluxos e instituir relações de poder que garantam o escoamento da droga para o território nacional. É importante salientar, que nessa região também se constatou a presença de facções e gangues dos países vizinhos, que ora atuam em cooperação com as facções brasileiras ora rivalizando com elas.

Mapa 2 – Facções que disputam o controle dos municípios amazônicos

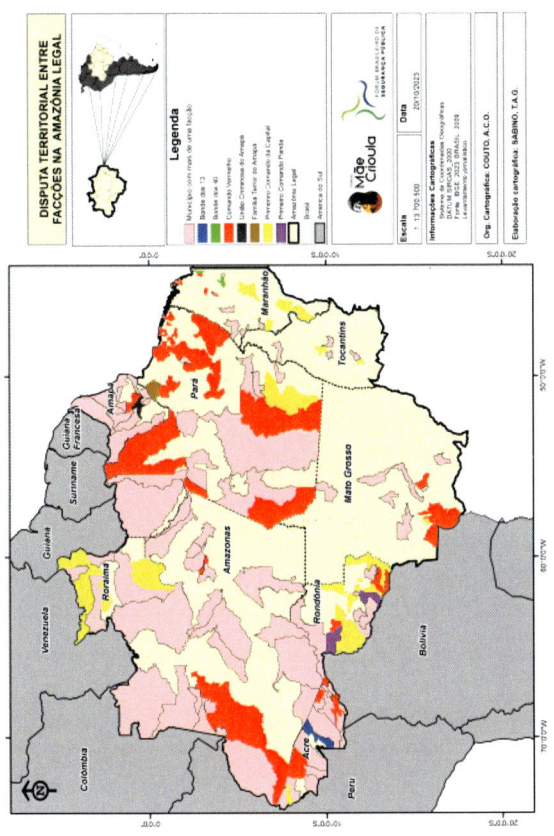

Fonte: Cartografias da violência na região amazônica (2023)

Já no interior da região, alguns municípios são disputados por serem estratégicos enquanto espaços de fluidez ou de varejo da droga, sobretudo em espaços de instalação de projetos de infraestrutura e dinamismo econômico, como é o caso das cidades de Marabá, Parauapebas, Altamira, Santarém, Itaituba, Oriximiná, no estado do Pará; Açailândia, Imperatriz, Santa Inês e Estreito, no estado do Maranhão; Palmas, Araguaína e Gurupi, no estado do Tocantins. Como destaca Misse (2019), os confrontos entre diversas organizações criminosas entre os anos de 2016 e 2018, mais precisamente nos presídios do Norte, Nordeste e Sul, atestaram a importância do sistema penitenciário e o seu papel central em um processo de disputa pelo mercado varejista e atacadista das drogas e armas ilícitas nas rotas e cidades em que atuam organizações criminosas, especialmente o PCC e o CV. As disputas pelo uso do território marcam uma geografia do crime organizado que impõe vigilância e controle dos territórios, e isso se dá justamente nas cidades enxergadas como estratégicas para o varejo e atacado das drogas. Para Schelling (1971), o crime organizado apresenta uma característica chave de "exclusividade", que significa exercer governança sobre o mercado ou território mediante monopólio.

Isso explica em grande medida a explosão dos conflitos urbanos em Manaus, Macapá, nos municípios onde coexistem facções rivais que buscam a hegemonia sobre a região, varejo e atacado. Assim, a região amazônica vem se consolidando como grande fronteira do narcotráfico global, e não bastasse ser local de passagem da droga, as maiores cidades e aquelas outras localizadas nas principais rotas da droga estão sendo sob disputas territoriais. Como regras têm-se: o controle dos presídios; posteriormente, as "quebradas", que, na linguagem do crime, significa as zonas controladas pelo tráfico para o consumo de drogas nas cidades; e, por fim, na escala regional, a rota da droga. Essas relações multiescalares, então, produzem uma geografia das redes do narcotráfico sobre a região, que vêm se instituindo diante da dificuldade do Estado brasileiro em saber lidar com este fenômeno.

3.
AS MORTES VIOLENTAS INTENCIONAIS E O MAPA DA VIOLÊNCIA NA AMAZÔNIA

Tem-se uma disputa pelo controle das áreas de garimpo ilegal e toda sua estrutura montada, assim como disputas pelo controle de rotas, entrada de facções criminosas em territórios indígenas e comunidades quilombolas, grilagem de terras e controle de zonas ribeirinhas. Toda essa dimensão socioespacial contribui também para o aumento das taxas de mortes violentas intencionais, onde a Amazônia encontra-se com taxas elevadas de MVI, acima da média nacional.

O relatório de pesquisa do projeto "Cartografias da violência na região amazônica" (2023) aponta para essa problemática e destaca ainda que, apesar da redução verificada no último ano, todos os estados da região apresentaram taxas de violência letal acima da média nacional no período. Nesse sentido, o estado mais violento foi o Amapá, com taxa de 50,6 mortes por 100 mil habitantes. Na sequência aparece o Amazonas, com taxa de 38,8, o Pará com taxa de 36,9, Rondônia com taxa de 34,3, Roraima e Tocantins empatados com taxa de 30,5 mortes por 100 mil, Mato Grosso com taxa de mortalidade de 29,3, Acre com taxa de 28,6 e Maranhão com taxa de 28,5 por 100 mil. Ao todo, 9.011 pessoas foram assassinadas na região no ano passado.

Em grande medida, é possível reconhecer que a própria geografia da região contribui para essa sobreposição, visto que as rotas, sejam fluviais, rodoviárias ou aéreas, muitas vezes são as únicas existentes em determinadas territorialidades, contribuindo para que o mesmo modal seja utilizado com diferentes finalidades. Contudo, é importante aqui reconhecer a importância para a dinâmica criminal da região do estabelecimento de organizações criminais, principalmente as de base prisional. O peso relativo desses grupos na configuração criminal, no Brasil como um todo e na região amazônica em específico, é significativo, tornando importante sua análise para compreender o cenário recente dos indicadores de violência e as interconexões entre diferentes modalidades criminosas, incluindo as ambientais. É aí que o debate da geografia política ganha forças, pois há um contexto de guerra que envolve grupos faccionais rivais que ora enfrentam-se, ora desafiam o poder do Estado.

Por exemplo, no relatório citado antes, a análise dos dados realizou a divisão das cidades da Amazônia entre rurais, urbanas e intermediárias para ajudar na compreensão da extensão da violência na região, visto que os dados indicam que em todos os contextos as mortes violentas são mais elevadas na Amazônia do que no resto do Brasil. Desse modo, no que diz respeito às cidades classificadas como urbanas, a taxa de mortes violentas na Amazônia legal, de 35,1 por 100 mil habitantes, é 52% superior à média nacional, que foi de 23,2 por 100 mil. Ou seja, um contexto de extrema violência e vulnerabilidade que define a região como a mais violenta do Brasil.

O Mapa 3 destaca a taxa de mortes violentas intencionais (MVI) no último triênio para todas as cidades que compõem a Amazônia legal. Destaca-se que ,do ponto de vista metodológico, como parte significativa dos municípios da região tem menos de 50 mil habitantes, qualquer evento considerado atípico registrado em determinado ano, a exemplo de uma chacina, poderia elevar a taxa de mortalidade de uma dessas cidades, deixando-a acima da média histórica e gerando uma distorção na análise dos resultados. Para evitar que um único evento com morte colocasse determinada cidade na lista de mais violentas, procedemos a análise das mortes violentas entre 2020 e 2022 e calculamos a taxa para o triênio, de modo que as cidades com taxas mais elevadas são aquelas que apresentaram cenários de violência letal durante todo o período, não caracterizando um evento atípico como as chacinas já exemplificadas anteriormente (Cartografias da violência, 2023).

Por este procedimento, quinze municípios apresentaram taxa média de violência letal acima de 80 mortes por grupo de 100 mil habitantes no período, a maioria nos estados do Pará e Mato Grosso: Floresta do Araguaia-PA (128,6), Cumaru do Norte-PA (128,5), Aripuanã-MT (121,8), Alto Paraguai-MT (110,0), Mocajuba-PA (108,0), Anapu-PA (100,0), Novo Progresso-PA (99,9), São José do Rio Claro-MT (99,5), Abel Figueiredo-PA (95,2), Nova Maringá-MT (90,3), Ourilândia do Norte-PA (89,4), Iranduba-AM (89,2), Junco do Maranhão-MA (86,4), Colniza-MT (82,7) e Curionópolis-PA (80,7).

Mapa 3 – Taxa de Mortes Violentas Intencionais nos municípios da Amazônia Legal 2020-2022

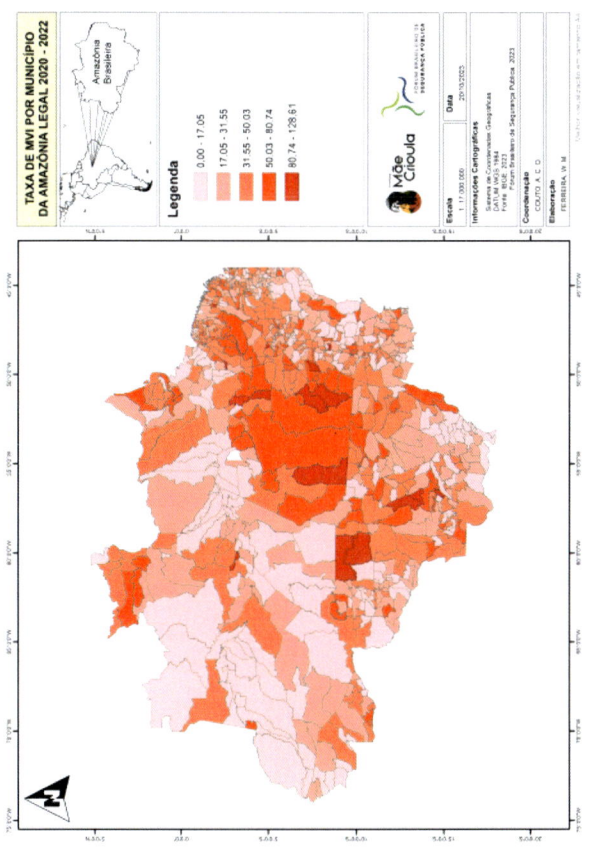

Fonte: Cartografias da violência (2023)

A cidade mais violenta da Amazônia é Floresta do Araguaia, localizada no sul do Pará, município com uma população absoluta de 17.898 habitantes. Fundada em 1970, está situada às margens do rio Araguaia, fazendo fronteira com o estado do Tocantins. Historicamente, sua dinâmica econômica está relacionada às atividades de pecuária, agricultura e mineração. Caracterizada por ser sede de uma terra indígena e de diversos assentamentos do Incra, aparece em mapeamento produzido pelo Ministério Público do estado como local em que se contabilizaram ao menos 13 conflitos fundiários e agrários cujos procedimentos extrajudiciais encontravam-se em tramitação em 2020. A região de Redenção, onde o município se localiza, é objeto de disputas de fazendeiros que atuam com criação de gado e madeireiros há décadas.

São municípios que sofrem influência das facções criminosas, e, nesse sentido, são incorporados ao esquema das redes ilegais. Os jovens, sobretudo em situação de vulnerabilidade social, tornam-se então mão de obra barata e descartável na guerra pela reafirmação do domínio do território. Para isso, é preciso primeiramente configurar uma rede social para depois configurar e consolidar o controle efetivo do território.

Este controle se faz pelo uso da força, aquilo que, uma "territorialização perversa", associada ao controle do território pelo crime. É dessa forma que também se pode explicar a expansão da violência. A organização espacial assim resultante desses processos é a da territorialização da violência, na qual está sendo recriada, permanentemente, uma nova ordem espacial, no sentido de sua própria reprodução, reafirmando a presença das facções criminosas nos espaços dos municípios e na região amazônica.

PARA (NÃO) CONCLUIR

Como apresentado neste texto, a região amazônica vive uma situação extremamente complexa. Tal complexidade se dá em função de relações de poder construídas e difundidas historicamente sobre o território, pois há que considerar os modelos de desenvolvimento que produziram desigualdades espaciais e vulnerabilidades sociais, colocando sob risco populações indígenas, quilombolas, castanheiros, seringueiros e pescadores artesanais.

A violência na região amazônica foi, portanto, instituída pelo próprio estado, que contribuiu para que ocorressem processos fragmentadores do espaço regional com a presença de múltiplos agentes. Nesse sentido, a violência pode-se dizer que nasce com o próprio modelo de desenvolvimento que não atendeu as necessidades de demandas das populações locais.

A presença do crime organizado e das facções criminosas na região veio para somar com as mais variadas formas de violação de direitos, sobretudo direitos territoriais. A reorganização espacial das facções criminosas em função da dinâmica do narcotráfico consolidou a importância geoestratégica da Amazônia para os mercados globais. Essa geopolítica do narcotráfico se dá com base nas articulações e estratégias que consolidam as presenças das redes ilegais na região, uma conexão necessária para o andamento do mercado da droga. Por fim, o que se chama de geografia política do narcotráfico são as relações de poder que são impostas a partir das territorialidades que geram então tensões e conflitos pelo uso do território e controle do espaço.

REFERÊNCIAS

ABRANCHES, Sérgio. A alienação da autoridade: notas sobre a violência urbana e criminalidade. *In*: VELLOSO, João Paulo dos Reis (org.). **Governabilidade, sistema político e violência urbana**. Rio de Janeiro: José Olympio Editora, 1994.

BECKER, Bertha. **Amazônia**. São Paulo: Princípios, 1991.

CASTRO, Iná Elias de. **Geografia e política**: território, escalas de ação e instituições. Rio de Janeiro: Bertrand Brasil, 2005.

CERQUEIRA, Daniel; LOBÃO, Waldir. **Condicionantes sociais, poder de polícia e o setor de produção criminal**. Texto para discussão n. 957. Brasília: Ipea, 2003.

FÓRUM BRASILEIRO DE SEGURANÇA PÚBLICA. **Cartografias da violência na Amazônia**. São Paulo. Relatório de pesquisa, 2022. Disponível em: www.forumdesegurancapublica.org.

COSTA, Wanderley Messias da. **Geografia política e geopolítica**: discursos sobre o território e o poder. 2. ed. São Paulo: Editora da USP, 2008.

MISSE, Michel. (Comentários Sobre) O Enigma da Acumulação Social da Violência no Brasil. **Journal of Illicit Economies and Development**, v. 1, n. 2, 2019. Disponível em: https://jied.lse.ac.uk/articles/10.31389/jied.32/.

SCHELLING, Thomas C. Economics Analysis and Organized Crime. *In*: **The President's Commission on Law Enforcement and the Administration of**

Justice, Task Force Report: Organized Crime. Washington, DC: US Government Printing Office, 1971. p. 114-26.